Dyma hwyl! Mae Dilys Deg yn ddeg oed heddiw.

Mae hi'n cael parti!

1

Mae ei ffrindiau i gyd wedi dod i'r parti.

Edrychwch, dyna grand ydyn nhw yn eu hetiau parti!

Dyma'r anrhegion. Mae naw anrheg wedi eu lapio mewn papur streipiog, ac un mewn papur smotiog.

Faint o anrhegion sydd gan Dilys?

Mae'n amser chwarae gemau! Dyma ddau falŵn pinc, ac wyth balŵn piws.

Faint o falwnau sydd yna?

Mmm! Amser bwyta! Dyma dair brechdan jam, a saith brechdan fêl.

Faint o frechdanau sydd yna?

Ew! Am gacen ben-blwydd hyfryd! Mae pedair cannwyll las, a chwe channwyll goch.

Faint o ganhwyllau sydd ar y gacen?

Mae'r parti wedi gorffen, ac mae'n amser i bawb fynd adref. Dyma'r bagiau parti.

Mae pump o'r bagiau â sêr arnyn nhw, a phump â haul.
Faint o fagiau parti sydd yma?

Dyma sut i wneud deg!

Ydych chi'n medru gweld **10** o'ch cwmpas?